'Tá an aimsir go hálainn!' arsa Mánas.
'Go hálainn ar fad,' arsa Ruairí.

‘Rachaimid ag iascaireacht ar Inis na Rón,’ arsa Mánas.

‘An-mhaith go léir,’ arsa Peadar.

Thug siad bia seachtaine leo.

'B'fhearr dúinn gabhar a thabhairt linn!' arsa Ruairí.

‘Agus seanbhean chun an
gabhar a bhleán!’
arsa Peadar.

‘Agus stól a suífeadh sí air!’
arsa Mánas.

D'imigh siad leo, Mánas, Peadar, Ruairí, an tseanbhean, an gabhar agus an stól .....

Ba ghairid gur tháinig péist mhór orthu!

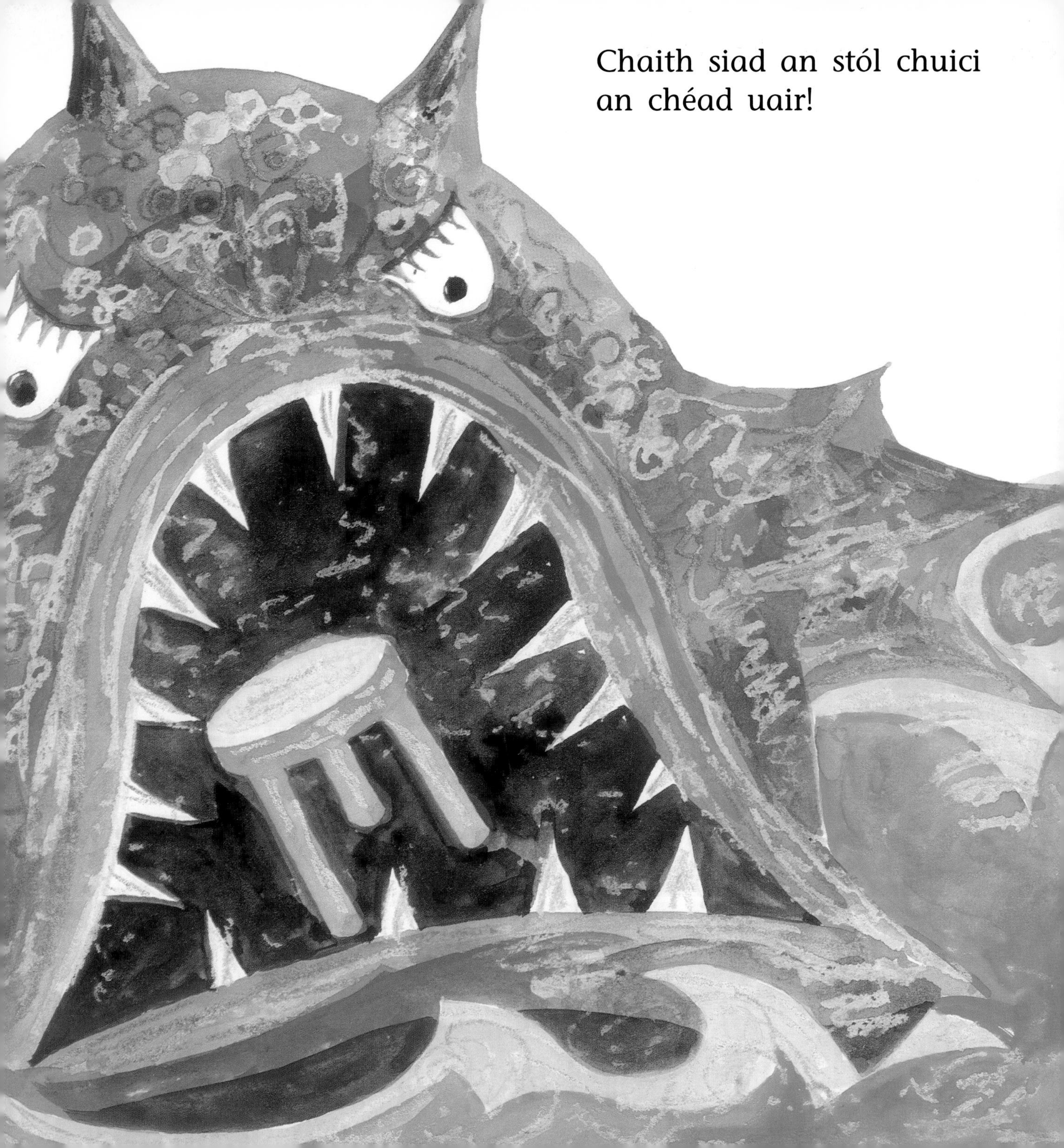

Chaith siad an stól chuici
an chéad uair!

Chaith siad an gabhar chuici ansin.

Sa deireadh chaith siad
an tseanbhean chuici.

Ach lean an phéist mhór iad!

Bhí slat iascaireachta ag Mánas.
'Seo péistín duit, a phéist!' ar seisean.

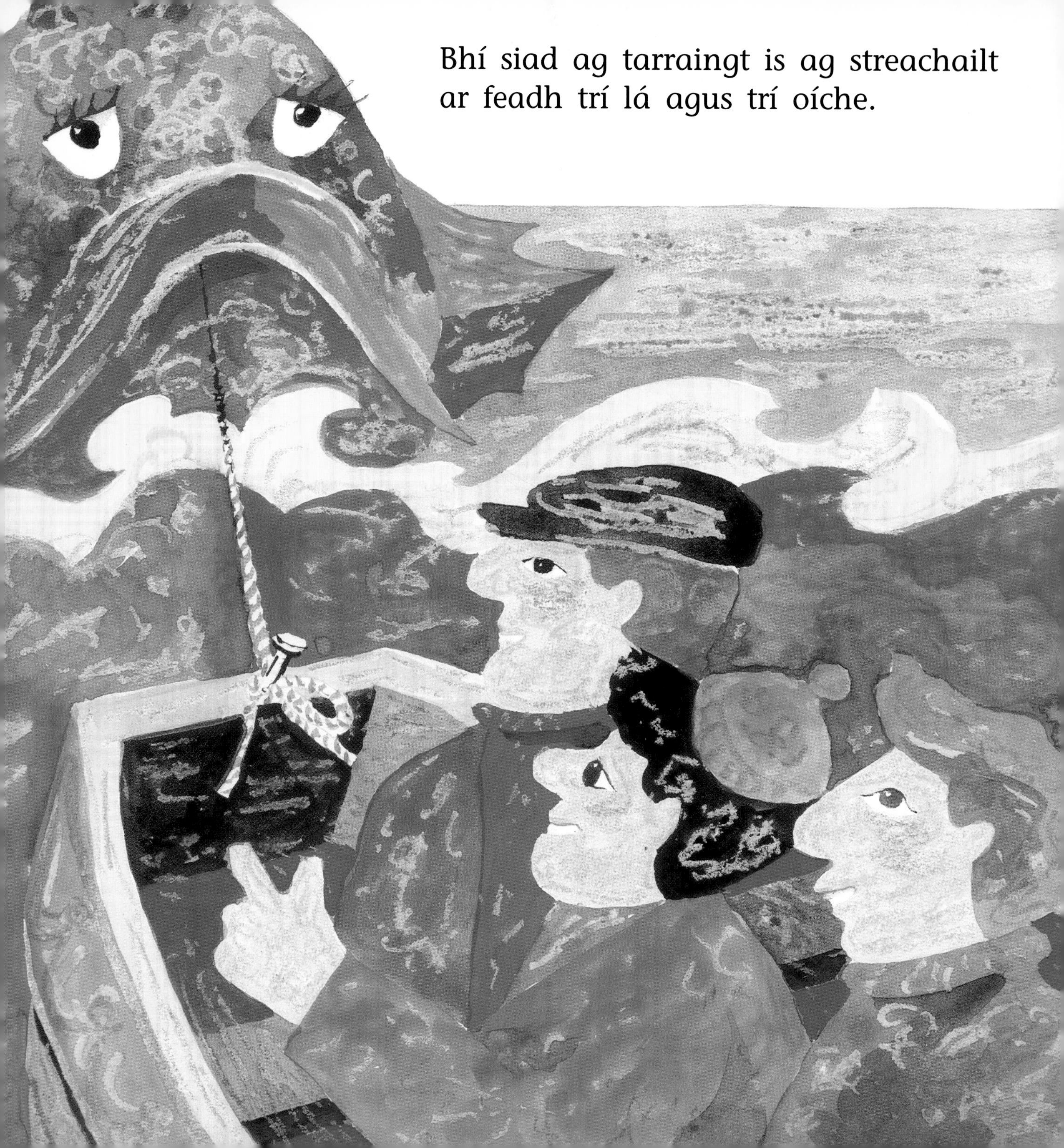

Bhí siad ag tarraingt is ag streachailt ar feadh trí lá agus trí oíche.

Sa deireadh, thug siad an phéist mhór i dtír!

Bhí muintir an bhaile rompu ar an trá
agus lampa an duine acu!

'Tá dóthain ola inti a líonfadh 5000 lampa!' arsa Mánas.

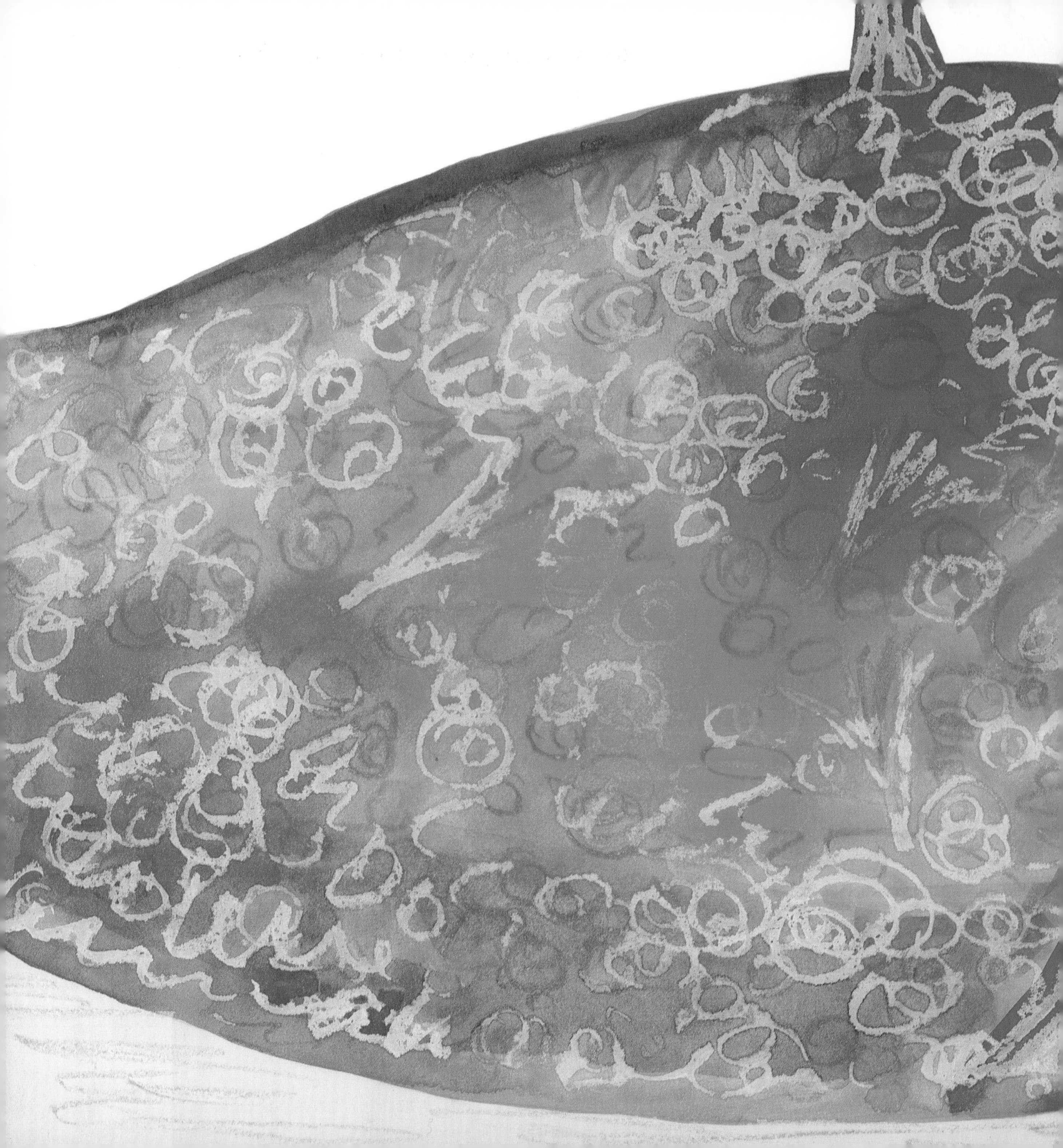

Rug Mánas ar mhaide rámha agus d'oscail sé béal na péiste.

Cad a bhí istigh inti ach
an tseanbhean!
Í ina suí ar an stól
agus í ag bleán!

ISBN 1-85791-152-0

Arna chlóbhualadh in Éirinn ag
Criterion Press Tta

Le ceannach díreach ón
Oifig Dhíolta Foilseachán Rialtais,
Sráid Theach Laighean,
Baile Átha Cliath 2
nó ó dhíoltóirí leabhar.
Nó tríd an bpost ó:
Rannóg na bhFoilseachán,
Oifig an tSoláthair,
4-5 Bóthar Fhearchair,
Baile Átha Cliath 2

An Gúm, 44 Sráid Uí Chonaill Uacht., Baile Átha Cliath 1